ZHONGGUOHUA
MINGJIA ZUOPINJI
FANG KUN
XIEYI SHANSHUI

第**9**辑

中国画名家作品集

方　坤写意山水

主编／贾德江

U0137004

● 北京工艺美术出版社

为黔山写魂　为秀水立传

——方坤山水画作品解读

□ 黎展华

　　把对家乡的眷念融入个人的审美情感，把黔山秀水的印象转化为独特的笔墨符号，用当代观念全新演绎出独具魅力的人文景观，有力地拓宽了山水画的艺术视野和审美空间，极大地丰富了山水画的艺术内涵，这是我对贵州山水画家方坤先生用笔鲜活、点画精到、赋彩独特、才情超迈的山水画作品的一种解读。

　　"能于同处求不同，唯能不同斯大雄"。贵州奇特的山水景观，多彩丰富的民族风情，清新隽雅的黔山秀水在方坤的山水画作品里处处都可以看到，其中最显著的特点是能传递出一种春风化雨、摄人心魄、从未有过的新鲜感觉。那种只有黔山秀水才有的魂灵，在方坤的笔下表现得淋漓尽致，拉开了与国内山水画家不同的景象表达。定位于"黔山秀水"这一文化符号的解读，其塑造的黔山秀水这一经典的艺术效果和山水神韵，是其他画家所难以复制和逾越的。

　　每个艺术家的作品都有自己独特的艺术风格，而不同的阶段都有自己的审美追求，我认为方坤的艺术风格已基本确立并臻于成熟。其来之不易的高水准山水画创作及审美情感的投入，既激活了传统山水画的传承，又推动了山水画的创新。无论是从题材内容或笔墨形式，无论是画面视觉效果或独特的审美特征，画家试图从中国山水画史中总结、归纳、比较、分析，在一般化风格特点的作品中抽离出来，脱颖而出，可谓不同凡响，成为标新立异的画法。这一成果，已成为当代山水画创作的一大亮点，理应引起美术界的高度关注。近年来，国内评论界多有撰文对其艺术成就给予较高的评价和肯定，这是理所当然的。

　　方坤山水画的主要特征是笔墨苍劲老辣，画面效果雄浑大气，但浑厚苍茫中亦不失娴雅俊逸，虽多崇山峻岭，层岩叠嶂，但亦不乏幽谷迥溪、小桥流水，在追求巍峨雄浑的自然景观的同时，亦不失留意人文精神的营造。他在创作中，追求"以墨求气，以水求韵，以线求骨，以点求神"，虽大刀阔斧，恣意纵横，但亦不失规矩法度、人文精

"黔山秀水——方坤山水画展"开幕式

神。唐人张彦远云："夫象物必在形似，形似全其骨气，骨气形似皆本于立意而归乎用笔。"可见用笔、用墨、用点、用线是方坤所重视的。他的山水画除了重视笔墨以外，还特别重视景致的营造，强调回归审美取向，力争情景交融，尽可能完美，并非一味得意忘形。他一向主张，一个好的山水画家，在造景方面应达到相当高度，才能谈造意的问题，否则，"皮之不存，毛将焉附"。当然，这里所谈的造景决非是写实，这里的景是形而上的景，是画家心中的景，是传统山水画所追求的那种至高境界的景。在这方面，他最推崇宋代的山水画，他认为，宋代的山水画是绘画史上的一个高峰，至今难以逾越。他对宋代山水画的推崇主要基于两点：其一是在造景方面，宋代山水画可以说达到了极致。其二是境界的营造，即一幅画的精神所在。自宋元以降难有达到其高度者，就其原因，除当时的历史和社会条件以外，还涉及到画家个人的学问、修养等。基于此，方坤在较长时间的宋画研习过程中，明白一个道理，要想在山水画创作中有所建树，光靠勤奋努力是不够的，还须增加各方面的修养，特别是文化修养。

方坤居黔中，出生书香世家，家风崇尚斯文，从小即受到良好的家庭教育，好读书，尤好读史。他学画是在对绘画史、美术史相当熟悉之后才开始的，基于此，他对传统的理解和把握会更理性一些。如前所述，他除对宋代山水画极力推崇外，在众多的近现代山水画家中，他选择了黄宾虹和陆俨少作为他的学习和研究

骤雨还晴
2016年／纸本／136cm×68cm

画山水记 / 2013年 / 纸本 / 68cm × 180cm

对象，并一头扎进去就是近二十年的时间，包括对他们的人生经历、美学思想、艺术风格等方面，都进行了全方位的学习和研究，这对一般画家来说是难以做到的。难怪一个深居大西南一隅的画家，能以如此超迈的艺术水准和独特的艺术风格立足于当今中国画坛，其深厚扎实的传统根基是不容忽视的。

在山水画创作中，方坤谙熟画理画法，以深厚的文化积淀作根基，注重笔墨语言的锤炼，造景与造意相结合，在遵守法度的同时，也注入了现代审美情感的投入，使其作品更符合现代人的审美追求，受到大家的喜

爱和肯定。观其作品，有笔有墨，有情有景，如诗如画，意趣横生，超然于"有我"与"无我"之间，在境界与形式感上，他尽力"突破传统文人画淡雅疏朗、闲情逸致的格局"，而"通达畅怀于崇高而又宏伟"的精神弘扬，致力于表现天地大美与气势恢宏的黔山秀水。他的山水画能让人充分感受到深厚的传统文化内涵与强烈的现代气息以及东方表现性特征的统一，方坤的画自有我在。

研究绘画史的人都知道，成就一个画家的艺术风格主要有以下几个重要因素：天分、学养、地域环境、师承关系、社会属性

等。对方坤而言，我认为对他影响较大的除天分学养以外还有地域环境和社会属性两个方面。俗话说，一方水土养一方人。方坤长期生活、工作在贵州，那里的山山水水无一不在他的生命中留下深刻的烙印。贵州多山，属典型的喀斯特地貌，山形结构复杂，曲屈多变，岩石形貌奇特诡异，甚有不可名状者。面对这种地形时，很多画家是为难的。方坤通过较长时期的观察和琢磨，认为要充分表现这种地形，光靠传统的各种皴法是不够的，要重新寻求一种既能表现又不失传统的皴法。通过反复多次的实践，他终于明白

了一个道理，主要还是在用笔上下功夫，在笔墨上求变化。于是他将传统中的各种皴法融会贯通于毫端，行笔时根据各种山石的形貌特征顺势而为，曲屈婉转，处处求变，下笔重，用笔狂，点、拂、披、顿、转、挫的笔法多变，或稳或速，或虚或实，无一处不变化，可谓"山川与予神遇而迹化"也。由此，他对于奇特怪异山形的塑造恰到好处，神妙处皆在毫端，"我有我法"，极大地丰富了山水画的观赏性。所以，我们在欣赏方坤的山水画时，对他那种奇妙的构图和曲屈婉转的线条表现不得不叹服。另一方面，方坤

是体制内的画家，在地方上除了画家的身份外，他还担任了许多行政和社会职务的工作。他除了搞创作，还要关注一个地方社会的经济文化发展，参与组织各种大型社会文化活动，进入一定的社会层面和文化圈。这对于提升他的人格气度和拓宽艺术视野是极有好处的，直接的结果是他比一般画家站得高、看得远，有宽大的胸怀和气局，表现在他的画上就是更加包容、大气和积极向上。所以，看他的画，总能给人一种令人激奋的感觉。

通过以上对方坤山水画的解读和阐释，

充分地说明了画家方坤所创作的艺术作品有感人的生命力，又有与人不同的风格特征，具有特殊的艺术魅力，将产生广泛和深远的艺术影响。方坤不仅是贵州的杰出画家，更是国内美术界一位具有艺术个性的实力派山水画家，其绘画史地位是难以估量的。

（作者系广东省人民政府文史馆馆员、信息化研究院副院长、广州国家档案馆艺术顾问、广州文艺评论家协会副主席、广东省收藏家协会副主席兼专业委员会主任）

麒麟阁
2016年／纸本／136cm × 68cm

一蓑烟雨
2015 年／纸本／ 65cm × 50cm

听瀑图
2015 年／纸本／ 65cm × 50cm

灵岩宫苑图
2016年／纸本／136cm × 68cm

陈传席（中国人民大学教授，著名美术史论家、博士生导师）：

方坤的山水画很有气势，令人振奋。细观每一幅画，皆浑朴厚重，随意率真，在苍劲老辣的笔墨中又不乏清雅之气，在当前画坛，实不多见。

我一向是主张阳刚大气的，它是一种精神，一种激发民族意志的精神。所以，阳刚大气的作品看后能振奋人心，激发意志。大气是一个画家风格气度的产物，不是靠学得来的。方坤虽生于南方，但个头高大，南人北相，且性情豪放，为人敦厚朴实，不拘小节。画如其人，其画作当然属于阳刚大气一路。

栖凤山庄
2015 年／纸本／直径 67cm

坐忘图
2015 年／纸本／直径 67cm

黔山秀水
2015 年／纸本／ 136cm × 68cm

听瀑图 ／ 2015 年 ／ 纸本 ／ 60cm × 90cm

凤栖山庄 ／ 2016 年 ／ 纸本 ／ 60cm × 90cm

翠微山庄
2016年／纸本／直径67cm

临流听泉
2015年／纸本／直径67cm

萧　平（江苏省国画院一级美术师，江苏省文化艺术研究院研究员，著名书画鉴赏家）：

方坤的山水画创作早在很多年前就已经在画坛上扬名了。他那苍茫浑厚、生机勃勃的山水画作品曾给很多评论家和欣赏者留下过深刻的印象。有理论家在谈及艺术的发展与变化时曾说："艺术史的每一步前行，其实都是那一代艺术家共同探索和努力的结果。"而细究方坤山水画创作的特点，或许会对当下的山水画坛提供一些借鉴。

我们在方坤的创作中发现，画面中所有的物象和造型都统一在他那率真而又浑厚、随意而又苍辣的笔墨线条之中。在这种浑厚与苍辣的背后，他的作品同时不失去中国传统绘画所具有的人文气息。

丹崖竞秀图

2016年／纸本／136cm × 68cm

黔山秀水图／2014年／纸本／60cm×220cm

听瀑图／2016年／纸本／60cm×90cm

凤山书院 / 2016 年 / 纸本 / 60cm × 90cm

清碧园 / 2016年 / 纸本 / 60cm × 90cm

听涛图 / 2016年 / 纸本 / 60cm × 90cm

黔中多佳景
2016年／纸本／136cm × 68cm

凤山书院
2016年 / 纸本 / 直径67cm

清江泛舟图
2016年 / 纸本 / 直径67cm

范　扬（中国国家画院中国画院副院长）：

　　我和方坤兄是多年的老朋友了，在山水画方面我们有很多谈得来的地方。我们的创作理念、审美取向等等，都是平时能够交流得来、能够谈得拢的。他的山水画最好的地方是比较豪迈、豪放，真情、真率；这么多年他一直在认真地做自己的山水画，营造自己山水的这块净土，非常不容易。贵州是一块充满神奇的土地，既有大山大壑，又不乏幽谷回溪、小桥流水。虽地无三尺平，行路艰难，但有时峰回路转，又见柳暗花明正好入画，蛮有意思的。方坤兄正好把这种神奇险峻的黔中山水融入他的画里，自然会给我们豪迈大气的感觉。

黔中山居图

2016年／纸本／136cm × 68cm

风和日丽
2016年／纸本／直径67cm

幽居图
2016年／纸本／直径67cm

姜宝林（著名画家，博士生导师）：

看方坤的山水画很使人精神振奋，感到是有生命力的、积极向上的。作品阳刚大气，率真而率意，有大家风范。他把贵州的山水转化为笔墨，且吸收了黄宾虹的东西，这在他的画中是一个突出的特色。若方坤先生能在其优势的基础上继续下去，那他的画确实很了不起。

苍岩积翠图

2016年／纸本／136cm×68cm

清风亭
2016年／纸本／136cm × 68cm

程大利（原人民美术出版总社总编辑，中央文史馆馆员）：

方坤先生工作不在画院而在文联，主要从事组织工作，他担任很多行政职务，却天天都在坚持作画。他的画很大气，很率真，很有发展前途。

秋山问奇图
2015年／纸本／直径67cm

林泉清话
2016年／纸本／直径67cm

拟宾翁笔意图
2016年／纸本／136cm × 68cm

在水一方 / 2015 年 / 纸本 / 60cm × 90cm

闲云流水净无尘 / 2016 年 / 纸本 / 60cm × 90cm

溪山清远图
2016年／纸本／136cm × 68cm

闲亭清话图

2015年／纸本／136cm × 68cm

石桥烟云
2015年／纸本／直径67cm

激流泛舟
2015年／纸本／67cm×67cm

张志民（山东省美协主席，山东艺术学院院长）：

方坤是我国著名画家，也是我们山东美术界的好朋友，他的画展在山东美术馆隆重开幕，这对我们山东省美术教育、美术创作肯定会带来很大的影响和积极的推动作用。方坤的山水画一看就感觉到他对传统研究很深，特别是对元代的黄公望、王蒙以及后来的黄宾虹等吸收较多。整个画面布局是大开大合的，很大气，确实画得很好。方坤是性情中人，为人很厚道，和咱们山东人一样。画好画首先和性格是有关系的，性格有时候比其他方面还重要。方坤先生同时还担任行政职务，是文联领导，工作之余还能画这么好的画，是难能可贵的。有这么多人喜欢他的画，这与他的为人、性格及文化修养是有关系的。我一直都喜欢他的画，可以说他的画册基本上是我案头必备的，随时翻来看看，像品茶一样，也会进入一种境界。方先生的画是高格调的，整个画面感觉很厚重，给人耳目一新的快感，有冲击力，从他的画里我得到很多启发。

可游可居图
2016年／纸本／136cm×68cm

松蔭聽濤圖
丙申長夏寫於仲方

松荫听涛图
2016年／纸本／136cm × 68cm

徐佩君（中国美术馆研究员博士）：

　　方坤先生在用笔方面能以枯写润，以刚写柔，他的画成功之处还在于将山水变成笔墨语言，并借笔墨描写了他熟悉的自然风物。他笔下的黔山秀水，不囿造化，随心而安排，这景致既是实境的再现，又恍如理想化的世外桃源，似真似幻，诗意盎然，足以使人流连忘返。

黔山秀水图
2016年／纸本／136cm × 68cm

溪山雾霭图
2016年／纸本／ 136cm × 68cm

惠风和畅
2016年／纸本／136cm × 68cm

居山赋闲图
抚宾翁笔法为
此帧记之
辛卯秋方坤

自 序

　　余之于画山水，主要得益于生长在贵州。贵州古称黔中，斯地多崇山峻岭，层峦叠嶂；山势雄浑险拔，壁立陡峭。然其间亦不乏幽谷回溪，小桥流水；也有竹篱茅舍，茂林修竹。无论何地，都有极佳景致，可谓信笔写来，皆可入画。特于夏秋多雨之季，山间处处瀑流飞挂，溪涧横溢；或烟云弥漫，雾气腾升；或林木掩映，变幻迷离；若隐若现，若沉若浮，真可谓万千气象，景之致也。

　　然黔中山水之于绘画，若无特殊之技法，则实难把握，不能曲尽其态；其原因主要在"奇特"二字上。黔中山形结构复杂，属典型的喀斯特地貌；山石形态奇特诡异，屈曲多变，甚有难可名其状者。传统之于山水，虽有多种皴法，但在此奇特的山水面前，似觉无力，不足以表现如此繁复多变的山形地貌。考其画史，吾国山水画至宋代已成高峰，其法备也。宋元以降则多因其法，鲜有创新者。如何寻求一种既不失传统，又能恰到好处地表现黔中山水之法，是余多年来一直为之努力奋斗之目标。

　　余从事山水画创作已三十余年，此

居山赋闲图
2016年／纸本／ 136cm × 68cm

间常深入各地写生创作,对各种奇特的山形结构作过细致之研究,进行过多种笔墨技法上的尝试,反复实践,多方琢磨,废纸何止三千。当此之时,行则凝神以视,坐则闭目以思,卧则梦中瞿然而醒也。盖精神所注,无时不在画也,如是者难以时计,个中甘苦,难可与常人道耳。

今余已过耳顺之年,得以居家赋闲,承平豢养,自在优游,已无繁杂之公事。每日所思所想,不外乎画中事也。一艺之成,如攀高峰,崎岖坎坷,自多艰辛拔涉。然苦中有乐,最大的乐趣在于享受绘画之过程,也乐在每幅画作成功后之喜悦,尚能借此抒展怀抱,释放性情,徜徉于山水之间,不亦乐乎。

此集所收拙作四五十幅,多为近年新作,较之以往作品,笔墨嬗变,略可考见。出版之时,蒙岭南展华兄撰文推介,朋友情谊,自多褒奖之辞,然余之努力若能如仁兄美文之效果,亦余之幸也,仅此致谢。

2016年10月于三闲堂

黔山春雪

2016年／纸本／136cm × 68cm

山水有清音

山水有清音
2016年／纸本／136cm × 68cm